Alles over mijn
vrolijke parkiet
KLUITMAN

Hoi parkietje, fijn dat je nu bij mij woont!

Dit vrolijke boekje gaat over parkieten. Omdat dat de vogels zijn die het meest bij ons in huis wonen. Heb je een papegaai of een kanarie? Ook heel gezellig, maar je kunt dan beter een ander boekje lezen, want die vogels hebben een andere 'gebruiksaanwijzing'.

Inhoud

Het leuke van een parkiet is dat je hem tam kunt maken. Hoe je dat doet? Lees maar op bladzijde 20.

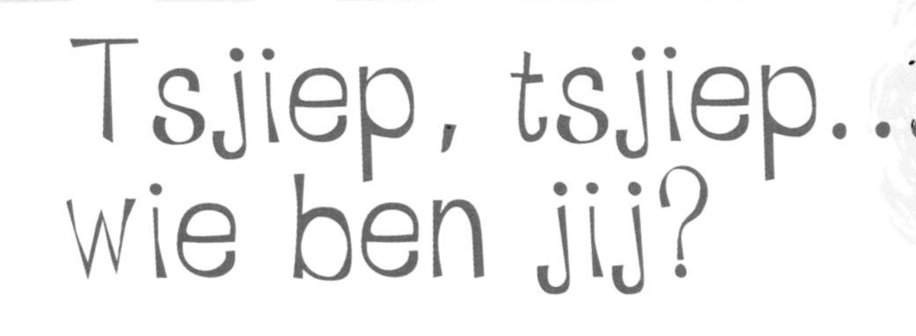

Tsjiep, tsjiep... wie ben jij?

Op deze pagina kun je een foto van je parkiet plakken.

Dit boekje is van .... Ik ben.....jaar
Dit is mijn adres..
En dit mijn telefoonnummer ....
Mijn parkiet heet...
Het is een jongen/meisje*
Mijn parkiet is de allerliefste parkiet, want ....
Zo herken ik mijn parkiet...

*m/v Op pagina 5 staat hoe je kunt zien of je parkiet een jongen of een meisje is.

Aangenaam!

Je eigen vogeltje. Dat is leuk! Maar om je parkiet goed te kunnen verzorgen en te vertroetelen, moet je wel een paar dingen over hem weten.

Parkieten zijn vaak blauw of groen als gras. Maar je hebt ook gele en witte. Elk beestje ziet er anders uit en elke parkiet heeft een eigen karakter. En er zitten vreemde vogels bij, hoor! De grasparkiet vliegt in Australië in het wild rond. Net als onze mus hier. Nee, jouw parkiet is niet daarginds gevangen, hij is in Nederland speciaal gekweekt om bij jou thuis te kunnen wonen. Hij zou het hier buiten niet eens overleven in z'n uppie.
Een parkiet heeft dons- en dekveren. De donsveren zorgen voor de warmte, de dekveren beschermen je parkiet.

Nieuwsgierig

Bij parkieten zitten de ogen aan de zijkant van de kop. Zo zien ze alles. Maar als er ergens iets beweegt dan draaien ze snel hun koppie, want stel je voor dat ze iets missen.

Parkieten kunnen erg goed klimmen. Hun poten zijn er speciaal op gebouwd: twee tenen wijzen naar voren en twee tenen wijzen naar achteren. Zangvogels - zoals kanaries - hebben drie tenen aan de voorkant en één achter.

Mannetje of vrouwtje?

Boven zijn snavel heeft de parkiet een 'neusdop'. Daarin zitten zijn neusgaten en aan de neusdop kun je van alles zien: hoe oud je vogel ongeveer is en of het een mannetje of een vrouwtje is. Bij jonkies is de neusdop nog heel licht. Hij wordt na een week of 12 donkerder en dan krijgen de mannetjes een felblauwe en de vrouwtjes een bruine neusdop. P.S. Als je vogel heel lichte veren heeft, zie je het verschil met een mannetje niet zo goed, omdat de neusdop dan ook licht is.

Wist je dat een parkiet wel 15 tot 20 jaar oud kan worden?

Ze leefden nog lang en gelukkig...

Je vogel heeft een ring om z'n poot. Nee, da's geen trouwring. Die ring heeft de fokker eromheen gedaan. Er staat op wanneer je vogel is geboren. Handig, want je kunt het beste een jonkie in huis nemen. Die worden nog tam. Daarover lees je meer op bladzijde 20.

Rekken en strekken

Als je parkiet lang stil heeft gezeten, rekt hij zich van top tot teen uit. Eerst de ene vleugel, dan de andere. Daarna de linkerpoot en de rechter. Zo wordt zijn lijf weer soepel. Je parkiet tilt zijn vleugels ook op als hij het warm heeft én als hij een soortgenoot wil versieren. 'Hé, kijk eens hoe mooi ik ben.'

Blije vogel

Als je parkiet ja knikt, dan heeft hij het erg naar zijn zin! Vaak maakt hij er ook nog vrolijke geluiden bij.

Gaaaaap

Zit je parkiet te gapen? Dan kan het zijn dat hij het een beetje benauwd heeft. Zorg voor wat frisse lucht.

Zo verliefd

Als twee parkieten elkaar lief vinden, gaan ze vaak snavelen. Dat is zoenen, maar dan met een snavel. Vaak voeren ze elkaar ook nog zaadjes. Als je parkiet jou heel lief vindt, geeft hij ook kusjes en kopjes.

Vreemde vogel

Een parkiet is een vrolijke vogel. De eerste paar dagen merk je daar alleen nog niet zo veel van, want de kans is groot dat hij stilletjes in zijn kooi zit. Hij moet gewoon nog even wennen.

Je parkiet is de kluts een beetje kwijt, want alles en iedereen om hem heen is nieuw. De kamer, de mensen, maar ook de geluiden. Hij moet dus een beetje wennen en daar kun jij hem bij helpen.

- Zet de kooi op een plaats waar hij alles goed kan zien en laat de eerste tijd 's nachts een paar lampjes aan in de kamer.
- Probeer de eerste dagen niet te rennen, gillen en te ravotten in de buurt van de kooi.

Krak

Pak je parkiet nooit op, maar laat hem altijd op je vinger springen als je hem uit zijn kooi wilt halen. Wil hij niet? Laat hem dan maar lekker zitten. Je moet met een parkiet namelijk heel voorzichtig doen. De botjes van zijn poten en vleugels zijn zo klein en fijn dat ze snel breken.

Je parkiet houdt niet van lawaai, maar wel van geluidjes. Zet maar eens zachtjes een cd met vogelgekwetter op. Dat vindt hij leuk!

- Eet en drinkt hij bijna niets? Laat hem maar. Strooi wel wat zaad op de bodem van de kooi. Dat pikt hij makkelijker op dan uit een bakje.
- Praat zachtjes tegen je parkiet en noem vaak zijn naam.
- Geef je parkiet complimentjes en aandacht.

Gezellig!

In de vrije natuur leven parkieten in groepen. Ze vinden het dan ook gezellig om een vriendje te hebben. Is je parkiet vaak alleen thuis? Dan kun je vragen of je nog een parkiet mag. Twee parkieten noemen we een koppeltje. Ze kunnen gewoon samen in de kooi. Als die groot genoeg is natuurlijk.

Villa Vogel

Een parkiet woont in een kooi. Eén waar hij in kan fladderen, klauteren, knagen, spelen en hij moet er zijn vleugels goed in kunnen strekken. Koop daarom altijd een zo groot en hoog mogelijke kooi.

Een parkietenkooi herken je meteen. Aan de tralies. Die lopen van boven naar beneden en dat is niet voor niets. Parkieten zijn namelijk dol op klauteren en klimmen en dat kan langs deze spijlen prima. Wist je trouwens dat een parkiet daarbij zijn snavel gebruikt?
Zet de kooi nooit in de zon of op de tocht. Daar kan je parkiet niet tegen. Zet je parkiet ook nooit in de keuken, want daar wordt gebakken en gebraden. En de bakluchten die daarbij vrijkomen zijn voor parkieten erg ongezond. Datzelfde geldt voor sigarettenrook.

De vloerbedekking

Op de bodem van de kooi strooi je volièrezand. Het zand vervang je één keer per week door nieuw zand. Dat is belangrijk, omdat je parkiet het zand ook eet. Er zitten namelijk allemaal stoffen in die goed zijn voor zijn gezondheid, zoals kalk en mineralen.

Met de parkieten op stok

In de kooi horen ook zitstokken. De naam zegt het al: je parkiet kan erop zitten. En hij kan lekker van de ene op de andere springen, als een soort gymnastiek. Het is

Knaag, knaag

Parkieten knagen graag. Je kunt naast de zitstokken af en toe wat takjes van een boom in de kooi leggen. Van een appel- of perenboom bijvoorbeeld. Of van een wilg.

heel belangrijk dat de zitstokken van hout zijn, anders glijdt je parkiet er steeds van af en dat is slecht voor zijn pootjes. Ze mogen ook niet te dik of te dun zijn, want daar krijgt je parkiet zere poten van. Laat je bij een dierenwinkel daarom goed adviseren. Hang en klem trouwens niet te veel stokken in de kooi, want je parkiet moet ook nog kunnen vliegen.

Bak met een dak

Heb je lekker water, valt er een keutel in. Het zal je gebeuren... Bah. Daarom kun je de eet- en drinkbakjes van je parkiet het beste grotendeels buiten de kooi hangen. Weet je zeker dat het eten en drinken schoon en fris blijft. Vraag bij de dierenwinkel welke bakjes je het beste kunt gebruiken. Ze mogen in elk geval niet te diep zijn, want dan kan je parkiet er niet bij. Een bakje met een dakje is handig, als je parkiet maar nooit beklemd kan raken. Koop je een tuitbakje? Let er dan op dat de zaadjes niet te groot zijn, want dan kunnen ze niet door de tuit. Honger!

Grote schoonmaak

Je moet de kooi elke week goed schoonmaken. Dat gaat het makkelijkst als je een kooi kiest waarvan je de bodem los kunt klikken. De kooi zonder bodem zet je dan even op tafel of zo. Je kunt dan alles goed schoonmaken. Gewoon met water. Is de kooi erg vies? Gebruik dan een druppeltje afwasmiddel en spoel de kooi daarna weer heel goed schoon. O ja, vergeet je de zitstokken en de bakjes niet?

Wat eten we vandaag?

Parkieten zijn gek op lekker eten! Maar ze maken er vaak wel een enorme knoeiboel van. De lege zaaddopjes slingeren overal rond.

Geef je parkiet elke avond vers zaad. In de dierenwinkel kun je speciaal parkietenzaad kopen. Parkieten breken de zaadjes open met hun snavel, eten de zaadjes op en spugen de doppen uit. Voor jonge parkieten hebben ze speciaal zaad, omdat die de zaadjes nog niet zo heel goed zelf kunnen pellen.
Je parkiet lust ook graag fruit. Appel, peer, sinaasappel... Je merkt vanzelf wat hij lekker vindt. Dat geldt ook voor groente: worteltjes, broccoli en blaadjes andijvie zijn prima voor je parkiet. Sla kun je beter niet geven, daar krijgt je parkiet diarree van. En rabarber en avocado zijn zelfs giftig voor parkieten!

Strandjutten

In de dierenwinkel kun je sepia kopen. Zo'n wit schijfje is het skelet van een inktvis. Als je parkiet eraan knabbelt, blijven zijn botten gezond en sterk. Het is dus heel belangrijk om een stukje sepia in de kooi van je parkiet te hangen.
Je kunt sepia ook tussen de aangespoelde schelpen

op het strand vinden. Het is wel heel belangrijk om de sepia goed schoon te spoelen met heet, gekookt water voordat je hem in de kooi hangt.

Geen snoepkous

Je parkiet houdt van lekker eten, maar niet van mensensnoep. Daar kan hij heel erg ziek van worden. Laat hem dus nooit knabbelen van jouw chips, dropjes, snoepjes of koekjes. Van een hapje chocola of een slokje cola en koffie kan hij zelfs doodgaan!

Lekker, lekker, lekker

Wil je je parkiet trakteren? Pluk dan een gele paardenbloem en hang die in de kooi. Smullen! En nog hartstikke gezond voor je parkiet ook. Paardenbloemen met pluisjes kun je beter laten staan waar ze staan. Wat veel parkieten ook erg lekker vinden, is biogarde. Doe maar een heel klein beetje op een theelepeltje. Zonder suiker natuurlijk. Ook gezond en lekker: trosgierst. Dat koop je in slierten bij de dierenwinkel. Geef je parkiet een halve sliert per week, anders wordt hij veel te dik.

Tip:
Kies een vaste dag voor de wekelijkse kooiklus, dan vergeet je het niet.

Geef je je parkiet groente of fruit, was het dan heel goed! Of kies voor biologisch.

Mjam, mjam, mjammm

Pas als het helemaal zacht en soepel is, gaat het naar de maag en daar wordt het fijngemalen en fijngekneed. Steentjes en zand helpen bij dat malen en kneden, en daarom moet je altijd een bakje met grit in de kooi zetten. Want: zand schuurt de maag.

Parkieten hebben geen tanden en kiezen. Ze vermalen het voedsel daarom eerst zo goed mogelijk met hun snavel. Als ze het doorslikken komt het in de krop. Dat is een holte in de keel van je parkiet waar het eten wordt geweekt.

Tip

Als het 's zomers warm is, moet je je parkiet 's ochtends en 's avonds schoon water geven, anders komen er veel te veel bacteriën in het water. Die zijn namelijk dol op warm water.

Water: hoe schoner, hoe beter

Parkieten drinken niet veel, maar water is wel heel belangrijk. Van vies water worden ze ziek, dus geef elke dag schoon water. En maak minimaal één keer per week het drinkflesje goed schoon. Gewoon met afwasmiddel. Wel goed

Een ei hoort erbij! **En** je parkiet likt er zijn pootjes bij af.

naspoelen natuurlijk. Om ook de hoekjes goed schoon te kunnen maken kun je bij de dierenwinkel speciale borsteltjes kopen, maar met een kindertandenborstel gaat het ook prima.
Welk drinkflesje je het beste kunt kopen, weten ze bij de dierenwinkel precies. Het is in elk geval heel belangrijk dat er geen troep in het water kan vallen en dat het tuitje niet verstopt kan raken.

Tip
Als je parkiet zich happy voelt, rispt hij de zaadjes uit de krop weer op om ze tussen zijn snavel fijn te malen. Wat je dan hoort, is een knarsend geluid.

Jas in de was

Onderbroek, sokken, trui... Wij trekken elke dag schone kleren aan. Je parkiet heeft geen kleren, maar wel veren. En die houdt hij heel netjes schoon. Zonder wasmachine!

Parkieten zijn echte ijdeltuiten. Ze nemen heel graag een bad, maar ook een douche vinden ze verrukkelijk. Spuit hem maar eens voorzichtig nat met de plantenspuit. Natuurlijk niet met een harde straal, maar met zo'n nevelig wolkje druppels. Zorg er wel voor dat het water schoon en fris is.

Geen nat pak

Met zijn snavel poetst je parkiet zijn veren. Een voor een trekt hij de veren door zijn snavel. Daar worden ze mooi glad en schoon

van. En glanzend! Op de veren van je parkiet zit namelijk een laagje vet. Dat laagje is heel belangrijk. Het zorgt ervoor dat je parkiet een bad kan nemen zonder dat hij nat wordt! De druppeltjes rollen zo van zijn veren af. Hij hoeft alleen maar even te schudden.

Vork + kam = snavel

Met zijn snavel kan je parkiet heel veel. Klauteren, eten, wassen, kammen... Natuurlijk blijft er wel eens een stukje eten aan zijn snavel plakken. Ook daar heeft hij een oplossing voor! Nee, geen snavelborstel. Hij maakt zijn snavel schoon door hem langs de zitstokken te schuren. Hij 'wet' dan zijn snavel, zo noemen we dat.

Je parkiet schudt zich regelmatig even uit. Als zijn veren stoffig zijn, als hij een bad heeft genomen, als hij schrikt...

Praatjesmaker

Je hebt er heel veel geduld voor nodig, maar als je veel oefent, kun je je parkiet leren praten. Geen hele verhalen natuurlijk, maar een paar woordjes lukt vaak wel.

Herhalen, herhalen, herhalen. Steeds maar weer hetzelfde woordje en met een beetje geluk zegt je parkiet het na. Begin met een makkelijk woord en spreek dat steeds heel rustig en langzaam uit. Bijvoorbeeld de naam van je parkiet of 'hallo'. Als je elke dag een paar keer oefent, gaat je parkiet het na een tijdje nazeggen. Dan kun je een ander woordje of zelfs zinnetje gaan oefenen. Niet dat hij snapt waar je het over hebt, hij brabbelt je alleen maar na. Omdat hij dat wel gezellig vindt.

Lekker, lekker

Je kunt je parkiet ook leren het juiste zinnetje op het juiste moment te zeggen. Als jij elke keer als je binnenkomt 'Hallo schatje' tegen hem zegt, zal hij dat op een gegeven moment van je overnemen. Of als je elke keer als je hem iets lekkers geeft 'Lekker snoepje' tegen hem zegt, zal hij dat ook gaan zeggen. Misschien wel als hij zin heeft in iets lekkers... Het is dan wel heel belangrijk dat je elke keer precies hetzelfde zegt. Dus niet de ene keer: 'Kijk, een snoepje' en dan weer 'Mjammie, trosgierst', want dan snapt je parkiet er natuurlijk helemaal niets meer van.

Jong geleerd...

Hoe sneller je je parkiet leert praten, hoe groter de kans op succes. Niet meteen vanaf dag een, want dan moet je parkiet nog wennen, maar als je hem een week of twee hebt, kun je best al oefenen.

Als je parkiet de smaak van het praten eenmaal te pakken heeft, brabbelt hij van alles na. Sommige parkieten hoesten zelfs net zo als hun baasje dat doet!

Wist je trouwens dat jij je parkiet beter kunt leren praten dan je ouders? Dat komt omdat een kinderstem hoog klinkt en dat kan je parkiet veel beter nadoen dan de zware bromstem van je vader. Ga je oefenen, zorg dan wel dat het rustig is. Dus: radio en tv uit en iedereen de kamer uit.

Met sommige parkieten kun je oefenen tot je een ons weegt, maar die zeggen geen boe of bah. Heb jij zo'n parkiet? Pechvogel!

Sportieve vogel

Parkieten bewegen graag. En ze zijn hartstikke lenig. Kijk maar eens hoe hij met zijn koppie draait. Helemaal in het rond. Dat doe jij hem niet na.

Als je parkiet lekker slaapt, zit hij op één pootje. Een hele kunst. Vaak legt hij dan ook nog zijn koppie op zijn rug. Vogels die alleen in een kooi leven, spelen graag met speelgoed. Hang de kooi niet helemaal vol, want dan kan hij geen poot meer strekken, maar zet of hang iets in de kooi waar je parkiet zich goed mee vermaakt. En tegen de verveling: wissel de speeltjes af. Bij de dierenwinkel is van alles te koop: spiegeltjes, schommels, trappetjes. Je doet er je parkiet een groot plezier mee, maar met een leeg wc-rolletje vermaakt hij zich ook prima.

Papierwerk

Parkieten knabbelen graag aan papier. Oude kranten, de post, behang, boeken van de bibliotheek... als je niet uitkijkt, maakt hij alles kapot. Geef je parkiet daarom bijvoorbeeld een oud telefoonboek. Of een oude verhuisdoos. Daar is hij zo druk mee dat hij de rest wel met rust laat.

En wat dacht je van lege eierdozen? Verstop er maar eens wat lekkers in.

Zwemdiploma

Parkieten zijn dol op badderen. Hoe meer spetters, hoe leuker. Zet dus een speciaal zwembadje in de kooi, anders gaat hij in zijn drinkbak poedelen en da's niet zo fris.

In de kooi moet je parkiet zich goed kunnen bewegen en uitstrekken. Maar het allerleukst vindt hij het natuurlijk om uit zijn kooi te komen en dan een paar flinke duikvluchten door de kamer te maken. Maar dan moet hij wel natuurlijk eerst tam zijn. Hoe je dat bereikt, lees je op de volgende bladzijden.

Van voor naar achter... Jonge parkietjes doe je een groot plezier met een parkietenschommel.

Gevleugelde vrienden

Het leuke van een parkiet is dat je 'm tam kunt maken. Het wordt dan echt een gezelligheidsdier!

Tam maken. Wat is dat eigenlijk? Het betekent dat je je parkiet met mensen om laat gaan. Dat hij het fijn vindt om bij jou thuis te wonen en dat jij zijn baasje en zijn vriend bent.
Tam maken kan alleen bij jonge vogels. Je kunt bijvoorbeeld een parkiet die altijd met andere parkieten in een volière heeft gewoond, niet ineens binnen zetten. Omdat hij niet tam is.

Veilig en vertrouwd

Hoe jonger de vogel, hoe makkelijker je hem tam kunt maken. Als je parkiet een week of zes is, kun je al beginnen. Hoe? Daar zijn geen trucjes voor. Je vogel moet leren dat jij zijn vriend bent en dat hij veilig bij je is. Moeilijk is dat niet, maar het kost wel tijd en geduld. En trosgierst! Daar zijn alle parkieten dol op en daarom is het de perfecte beloning.

Stapje voor stapje

Gun je parkiet eerst een paar dagen rust. Als hij een beetje aan zijn nieuwe huis is gewend, kun je heel voorzichtig een stukje trosgierst door de tralies steken. Wel vasthouden, hoor. Wedden dat hij dichterbij komt en lekker begint te knabbelen? Niet? Probeer het dan gewoon morgen nog een keer. Er komt een

moment dat hij toehapt. Doordat jij de trosgierst vasthoudt, went je parkiet aan je hand. De volgende stap is om je hand in de kooi te doen. Houd weer een stukje trosgierst vast, doe het deurtje van de kooi open, doe je hand in de kooi en laat je parkiet maar lekker knabbelen. Je merkt vanzelf wanneer je weer een stapje verder kunt gaan: proberen of je parkiet op je vinger wil zitten. Dat doe je door de trosgierst zo vast te houden dat hij wel van de zitstok op je hand moet springen om erbij te kunnen. De ene parkiet doet dat na een paar dagen, soms kost het weken. Maar er komt een moment dat je parkiet op je vinger springt als je je hand in de kooi steekt. Zelfs zonder trosgierst. Vanaf dat moment weet je dat je parkiet tam is.

Logeren

Ga jij op vakantie? Dan gaat je parkiet logeren. Regel dat wel op tijd. Vergeet niet dit boekje in zijn koffer te doen. En een gebruiksaanwijzing van jouw parkiet. Wat lust hij graag? Welk fruit eet hij? Schrijf dat soort dingen op. Net als je vakantieadres en je 06-nummer.

Duiken!

Parkieten hebben vleugels. En dat is niet voor niets, want ze doen niets liever dan rondjes vliegen door de kamer. En hij gebruikt het liefst jouw hoofd als landingsbaan.

Als je parkiet tam is, kun je je voorbereiden op zijn eerste vlucht. Daar komt namelijk nogal wat bij kijken, want het moet natuurlijk wel allemaal veilig zijn. Er mag niets kapot vallen en je parkiet mag zich ook geen pijn kunnen doen. Daarom moet je altijd een aantal dingen checken:

- Zijn de ramen en deuren dicht?
- Staan de breekbare spullen veilig?
- Kan hij zich nergens aan branden? Ook niet in de keuken?
- Zijn de andere huisdieren uit de kamer?
- Heb je plakband en lijm veilig opgeborgen?
- Staan er geen giftige planten?

- Zijn de gordijnen dicht?
- Kan je parkiet nergens - kasten, vazen, wasmachines, vuilnisbakken, ovens - in vliegen of kruipen?

Parkieten zien ramen niet. Ze vliegen er dus zo tegenaan. Au! Daarom is het heel erg belangrijk om de gordijnen dicht te doen als je je parkiet los-

Aan de wandel

Parkieten zitten en lopen graag over de vloer. Oppassen waar je loopt dus.

laat. Alleen de eerste paar keer, hoor. Als je parkiet vaker losvliegt, kun je de gordijnen elke dag een klein eindje verder opendoen. Zo leert je parkiet vanzelf dat hij niet tegen het glas moet vliegen.

Iedereen de deur uit

De eerste paar keer kun je je parkiet het beste uit de kooi laten als het rustig is in huis. Ga niet met de hele familie rondom de kooi staan, want daar krijgt je parkiet vliegangst van. Dus: wegwezen, allemaal!

Attentie, attentie

Vliegt je parkiet los, kijk dan waar je gaat zitten en staan. Je zou niet de eerste zijn die per ongeluk op het kleine beest-je neerploft.

Klaar voor de start...

Als je parkiet de eerste keren buiten de kooi is, zoekt hij een hoog plekje. In de gordijnen of boven op de kast. Laat hem maar lekker zitten. Als je na een tijdje je vinger voor je parkiet houdt, springt hij er vanzelf wel op. Niet? Probeer het eens met een stukje trosgierst. Je parkiet hapt vanzelf wel toe als hij honger heeft. Werkt dat ook niet? Laat je parkiet dan lekker zitten waar hij zit. Ga hem nooit opjagen! Krijgen jullie hem echt met geen mogelijkheid in de kooi, laat je vader of moeder voorzichtig een theedoek over hem heen leggen. Zo kunnen zij hem héééééél voorzichtig pakken. Als je parkiet een paar keer buiten de kooi is geweest, hoef je na een tijdje alleen maar het deurtje van de kooi open te zetten, zodat

Boomklimmen

Je parkiet is dol op klimmen en klauteren. Je doet hem een groot plezier met een klimboom: een grote kamerplant met takken die je versiert als een kerstboom. Met spiegeltjes en belletjes en rekjes en... verzin het maar!

je parkiet zelf in en uit kan vliegen. Hij vliegt en huppelt dan vrolijk in het rond en dikke kans dat hij regelmatig even op je hoofd of je schouder komt zitten. Dat is een mooi moment om hem woordjes te leren. En om samen spelletjes te doen. Je parkiet vindt het heel leuk om op de tafel te zitten en dan dingen naar beneden te laten vallen. Balletjes, potloden, wasknijpers... En oprulmen? Ho maar. Dat mag jij voor hem doen. Balletjes naar elkaar toe rollen, vindt je parkiet ook erg leuk. En dingetjes in en uit een doosje doen. Paperclips bijvoorbeeld. Of knopen. Niet te klein hoor, daarin kan hij zich verslikken. Helemaal favoriet is verstoppertje. Pak maar eens een paar eierdoppen of de binnendoosjes van de luciferdoosjes en verstop er iets onder... Leuk!

Pas op!
Deze (kamer)planten zijn GIFTIG voor je parkiet: oleander, primula, hyacint, taxus, buxus, wasbloem, kraanoog, maagdenpalm, aronskelk en nachtschade.

Lichaamstaal

Je kunt je parkiet dan wel een beetje leren praten, het meeste vertelt hij met zijn lijfje. Daarom is het ook zo belangrijk om goed naar hem te kijken.

Wat zegt je parkiet als hij van zijn lijf een bolletje maakt? En wat bedoelt je parkiet als hij in je oor bijt? De lichaamstaal van je parkiet vertelt je een heleboel. Over hoe hijzich voelt vooral.

Brrr bolletje...

Soms maakt je parkiet van zijn lijf een bolletje. Dan zet hij al zijn veren uit en lijkt hij veel groter en ronder dan normaal. Waarom hij dat doet? Meestal omdat hij het koud heeft. En door zich bol te maken blijft hij warmer. Het kan ook zijn dat je parkiet zich niet helemaal lekker voelt. Houd hem dus maar goed in de gaten. Als je parkiet vaak bol zit, dan kan het ook zijn dat zijn kooi op de verkeerde plaats staat.

Probeer eens of hij het op een andere plek beter naar zijn zin heeft.

...of boos bolletje

Parkieten maken zich ook bol als ze boos zijn. Of ruzie hebben. Ze zetten dan hun (kop)veren uit. Blijf dan maar even uit de buurt. Ook als hij ineens boos begin te schreeuwen. Dan staat zijn pet verkeerd.

Kaal

Vallen de veren van je parkiet uit? Niets aan de hand. Dan is hij in de rui. Dat gebeurt zo'n tweemaal per jaar. Na de zomer verwisselt hij zijn luchtige zomerpak voor een dikke winterjas, na de winter doet hij zijn zomerjas weer aan. Als je parkiet ongeveer drie maanden oud is, ruit hij voor het eerst. De babyveren maken dan plaats voor een volwassen verenpak. Ook zijn staart wordt een stuk langer. Ruien duurt wel een week of vier en kost je vogel veel extra energie. Hij heeft dan ook extra vitamines en speciaal zaad nodig. Bij de dierenwinkel weten ze precies welk zaad je je parkiet het beste kunt geven.

Zweten? Dat kan een parkiet niet. Als hij het te warm heeft, spreidt hij zijn vleugels en gaat hij sneller ademhalen. Zo koelt hij af.

Laat een parkiet nooit met je vinger spelen! Voor je het weet zegt hij 'hap'.

Als je vogel in de rui is, vindt hij het extra lekker om 'te douchen'. Verwen hem dagelijks met een nevelbuitje uit de plantenspuit. Niet op je parkiet spuiten, hoor. Als je boven in de kooi spuit, is het net een douche. Een badje kan natuurlijk ook. Ververs wel elke dag het water. En maak ook de kooi wat vaker schoon, want al die veertjes geven een hoop troep. Houd er rekening mee dat je parkiet niet op z'n best is als hij ruit. Sommige zijn gewoon chagrijnig! Laat hem maar lekker mokken, het komt allemaal weer goed.

Hap, au!

Als je parkiet zijn snavel in je vinger of je oor zet, voelt dat niet fijn. Zijn snavel is namelijk hartstikke scherp. Je eerste reactie is om hem van je af te slaan, maar dat moet je juist niet doen. Eerst moet je weten waarom je parkiet bijt.

Omdat je uit zijn buurt moet blijven

Soms wil een parkiet gewoon met rust gelaten worden.

Als hij slaapt of zich niet lekker voelt. Hij zet dan zijn kopveren op. Handig, want dan weet jij dat je even uit de buurt moet blijven.

Omdat hij bang is

Zit hij lekker te dutten, steekt ineens iemand een hand in zijn kooi. Schrik! Je parkiet voelt zich bedreigd en bijt van zich af.

Omdat hij aandacht krijgt

Je parkiet bijt in je oor, jij begint te gillen, te springen en te stuiteren. Hé, dat is een leuk spelletje, denkt je parkiet. Dat gaan we vaker doen...
Wat je dus niet moet doen als je gebeten wordt, is schreeuwen, slaan of achter je parkiet aan rennen. Doe gewoon alsof er helemaal niets gebeurd is. Al is dat natuurlijk makkelijker gezegd dan gedaan...

Staat de kooi van je parkiet op een plek waar de temperatuur erg schommelt? Dan kan je parkiet vaker ruien dan tweemaal per jaar.

Een zieke parkiet bijt van zich af. Wat is er aan de hand?
En wanneer moet je naar de dierenarts?
Je leest het op de volgende bladzijden.

Zeg eens AAA

Soms voelt je parkiet zich niet zo lekker. Wanneer gaat het vanzelf over en wanneer kun je beter even naar de dierenarts gaan?

Zieke en zwakke dieren zijn in de natuur een makkelijke prooi voor hun vijanden. Daarom laten ze liever niet zien dat ze ziek zijn en dat is best lastig. Toch geeft je vogel wel een aantal signalen.

Je parkiet:

- eet niet.
- drinkt niet.
- zit met opgezette veren op beide pootjes.
- slaapt op beide pootjes.
- kwettert niet meer.
- heeft diarree.
- heeft vieze, slijmerige veren op zijn kop.
- slaapt veel meer dan anders.
- lijkt een beetje dronken.
- ziet jou nauwelijks staan.

Heeft je parkiet een of meer van deze klachten? Bel dan even je dierenarts om te overleggen. Ga meteen naar de dierenarts als je vogel heel zielig en ineengedoken op de bodem van de kooi zit. Is het koud buiten? Wikkel dan de kooi in een warme deken en zorg dat de auto van binnen al lekker warm is voor je je parkiet erin zet.

Hatsjie

Ook een parkiet moet wel eens niezen, door te niezen worden de neusgaten gereinigd. Dat de parkiet af en toe niest, is dus heel normaal, alleen als er veel vocht uit komt, is hij verkouden. Grote kans dat de kooi dan op de tocht staat. Tijd voor een verhuizing.

In bed

Als jij ziek bent, blijf je het liefst in bed. Lekker warm en rustig. Je parkiet wil hetzelfde. Zet de kooi op een lekkere warme plek en maak hem wat vaker schoon dan normaal. Zorg ook dat je parkiet voldoende vers eten en drinken heeft. Geef je parkiet nooit op eigen houtje medicijnen, alleen als de dierenarts ze voorschrijft.

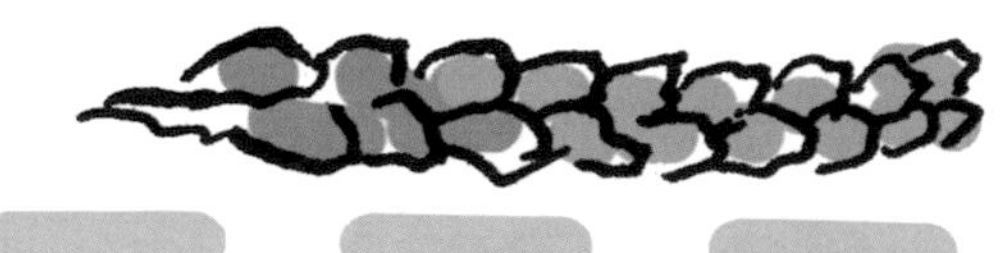

Snavel en nagels knippen

Ook als je parkiet niet ziek is, moet je af en toe met hem naar de dierenarts. Als zijn snavel te lang is bijvoorbeeld. Dan kan hij niet meer goed eten en dan moet de dierenarts er een stukje af slijpen. Ook moet er soms een puntje van zijn nagels af omdat die te lang worden.
Als je parkiet genoeg te klimmen en te klauteren heeft, slijten zijn snavel en zijn nagels trouwens vanzelf.

Nur 223 / LP090701

Concept, vorm & realisatie: Jos Noijen / DN30

www.kluitman.nl